黄落

koraku

礒貝尚孝

黄落◉目次

装幀　渡波院さつき

句集

黄落

こうらく

老梅

平成二十九年

去年今年ひと駅つなぐ大師線
ひんがしの空ほのぼのと大旦

寒空をぬくめて達磨供養の炎

法螺貝の音に始まる鬼やらひ

山門の古りて老舗の草だんご

老梅のなほ健やかに匂ふなり

青空を少し揺らして糸ざくら
ひと枝の池に伸びたる花の影

花びらが模様をゑがく水の上
いちまいの石橋くぐる春の鯉

詮もなきことは忘るる春の風
柔らかき風に解るる牡丹の芽

風に乗る五匹五彩の鯉のぼり

空や広し風や美味しと五月鯉

花は葉に谷中の墓地に青電話

葉桜のひろぐる蔭の深さかな

靖国の庭にて母の日とおもふ
たましひを鎮めて杜の若葉風

薄暑かな途中で曲がる団子坂

衣更へて銀座通りを風とゆく

しつかりと結んでもらふ祭帯
遠ざかる日を呼びもどす祭笛

しづけさを水に映して花菖蒲

現し世の塵に染まらず白菖蒲

あぢさゐや色鉛筆の減り具合

地上にも星ありとせば額の花

歩みゆく空のひろさや水芭蕉

万緑の中に総身を溶かしゆく

緋目高に水槽といふ自由あり

何用もなけれど父の日と思ふ

前略のあとの長さよ走り梅雨

点滴のまだ半ばなる梅雨晴間

大寺のしじまをつつむ夏木立

護摩壇の炎のいろの涼しさよ

地下街を出れば青空パリー祭

水無月の灯の溢れたる隅田川

横縞のシャツのすずしき港町

白南風や汽笛のとどく異人館

一日の空みんみんの声に明け
空蝉のまなこの中にある虚空

少年の日のよみがへる夏の空

向日葵や母に近づく子の背丈

おのづから風鈴市に風生まる

一瞬の風鈴市のコンチェルト

風鈴を吊るして風を招き入る
風鈴の鳴りて静けさ深まりぬ

朝風にけふのはじまる百日紅
夕暮の風をさそひて合歓の花

一つ家に二つの明かり夜の秋

手花火の散つて深まる闇の色

群竹を微かに揺らし秋立ちぬ
新涼のふつくらと盛る白ご飯

朝露やまだ消え残る恋ごころ

盆踊むかしの我へ逢ひにゆく

露草やもう忘れたる今朝の夢
なよやかに風と親しむ萩の花

さざなみの川のほとりに秋桜
せせらぎの音の近づく彼岸花

和紙の里までを色なき風の中
しばらくは両手につつむ秋茜

金色に日を靡かせて花すすき

しなやかに地まで紫式部の実

群青の空より銀杏散りやまず
黄落の道まっすぐに急がずに

真二つに切れば輝く蜜りんご

ひそやかに秋を深むる小糠雨

珈琲のカップの白さ冬に入る

潔白のまま山茶花の散り急ぐ

冬ぬくし微笑みといふ挨拶も

一人でもまづ半分に割る蜜柑

野暮用は二の次にして一の酉

パソコンの指に勤労感謝の日

凩の道を曲がれば我が家の灯

月よりも灯の明るさよ三の酉

石垣の樹々さかしまに冬の水

天守閣より見はるかす冬紅葉

短日を曲がりくねつて長良川

山並の時雨にけぶる美濃の空

青空の夢にふくらむ冬木の芽
街路樹に灯りが咲いて十二月

討入りの日に寝坊して恙無し

為すこともなき一身に暮早し

年暮れて電気ブランの杯の色

霜ばしら踏みて幼き日へ帰る

一陽来復また読み返す若菜集

すこやかに老いて天皇誕生日

賀状書く又一枚を反古にして

手頃なる杵の重さに餅をつく

急くこともなき一日の年用意

寒柝の過ぎて静けさ戻りくる

薫風

平成三十年

新雪を踏みて旧知の人に逢ふ

寒波なほ空の青さを極めつつ

薄氷は朝のひかりを拒まざる
競はぬといふ安けさよ春一番

ひと枝を垣根の外に梅ひらく

肩肘を張らずに生きて枝垂梅

佐保姫と南の国に待ち合はす
春めきて日向《ひゅうが》の空の明るさよ

東征の神話のありて涅槃西風

はるかぜに鬼の洗濯岩かわく

赤門をくぐれば芽吹く大銀杏
三四郎池のこみちに花すみれ

菊坂をだらだら下る日永かな

六尺に足らぬ路地へも春の風

ひともとの山のふもとの遠桜
再会を花のもとにて誓ひあふ

花冷えの大師の像の旅ごろも

はなびらを水面に鯉の漂はす

フェンスより波の溢るる雪柳

三椏の花や此の世に迷ひきて

満天星の花は真昼を点しをり

一隅のなほ暮れなづむ濃山吹

一面の菜の花に照る安房の海
真っ白に波くだけちる春疾風

しら魚に透明といふ色のあり

灯台を日のてらてらと夏近し

客船の泊まる港に夏はじまる
もう航《ゆ》かぬ日本丸にも大南風

薫風の中のペダルは軽く踏む

風やみて牡丹《ぼうたん》のいろ定まりぬ

明日より今日こそ泰山木の花

ほんのりと青き影もつ手毬花

風の日も風のなき日も吹流し

をみな子も健やかにして鯉幟

悔の字の中に母ある五月かな

富士塚の天辺に立つ薄暑かな

街路樹の一本ごとの緑雨かな

父の日の昨日と同じ夕餉かな

緑蔭の椅子を浄土の一部とす

麦秋のまつただ中をゆく鉄路

大路より海へ広がる夏至の空

黒南風や江戸まで二里の鯨塚

くねくねと蛇の泳げる昼下り

遠き日の薄らぐやうに蛇の衣

せせらぎの音をたよりに螢狩

螢火の一つ消ゆれば一つ点く

昼顔やひとには見せぬ胸の内
暮れそめてなほ十薬の花明り

山門をくぐりてよりの青時雨

虹消えて礎石のみなる毛越寺

道標の矢じるしが指す雲の峰
白さるすべり満開の淋しさよ

噴水は落下するため上りゆく

噴水の一休みして立ち上がる

涼風と仲見世の灯の中をゆく

あをあをと照らす鬼灯市の夜

風まねく薩摩切子の海のいろ

すずしさや二間つづきの青畳

自らの大暑の影を踏みゆけり

襟首に風の触れたる今朝の秋

鈍行のまた停車する残暑かな

八月の空の向かうへ鐘を打つ

白粉の花は日暮を待ちきれず
底紅の一輪づつに日のしづむ

月よりも明るきものに踊の輪

人の世といふ束の間を流れ星

行先は足の向くまま赤のまま
暫くは風を遊ばせ猫じやらし

川風を翅に透かして銀やんま

蜻蛉《とんぼう》に水面の影がつきまとふ

寅さんの像と色なき風に立つ

身にしむや帝釈天の松のいろ

渡し場に客をむかへて野紺菊

ゆつくりと一丁櫓こぐ水の秋

舟べりの手を沈めたる秋の水

江の島を海に浮かべて秋高し

松林を透かして秋の海しづか

真二つに空と海とに分けて秋

不忍池《しのばず》の空ひろびろと渡り鳥

宵闇の真中に東京タワーの灯

今日のみの青を尽くして螢草

淋しさに一群をなす曼珠沙華

敬老の日なり背中のむず痒き

末つ子が家を継ぎたる秋彼岸

行く先は一寸そこまで秋日和

靴紐を結びなほせる草もみぢ

みづうみを手鏡として山粧ふ

頂上に城をかまへて紅葉濃し

秋風の過ぎゆくばかり関ヶ原

敗荷といへども風に挫けざる

勲章と縁なき身にも赤い羽根
いつはりの色には非ず実南天

実柘榴の一つ一つに夕日さす

忽ちに暮れてべつたら市の雨

もう田畑なき古里の秋まつり

静けさを一人の卓に置く秋思

一枚の空をたまはる文化の日

にびいろに空のひろがる冬隣

スプーンの銀の光も冬に入る

新しき銀杏落葉をまた掃けり

留守電の声そつけなし神無月

了解と二文字のメール冬暖か

たをやかに峰の連なる京の冬
鐘ひとつ鳴りて冬日の傾けり

賑はひの中にひとりの三の酉

星よりも灯の煌めきて十二月

着ぶくれて優先席を狭めたる
眼差しの綻びてゐる大マスク

討入りの日に悪友と親しめり

愛犬も共に老いたる日向ぼこ

気力なほ五体に残る冬至風呂

つつましく暮らす天皇誕生日

餅つきの音に昔のよみがへる

忘れざることは幾つも冬銀河

好日

平成三十一年・令和元年

産土の古社に灯ともる元旦祭

ふるさとの真夜の明るき初詣

お得意の札は逃さぬ歌がるた
喜寿といふ命はぐくむ若菜粥

いちまいの紙を剝がすも松納

団子屋のお茶を一くち初大師

ほつほつと紅を鏤め冬木の芽

老骨といへど健やか日脚伸ぶ

東京のはづれに住みて春近し

立春の空のまつたき青さかな

早春の土を踏みゆく土踏まず

ひもすがら扉をたたく春一番

振り払ふ傘のしづくに寒戻る

ブロンズの乙女の像も冴返る

すこしづつ蕾ほころぶ針供養

梅東風や湯島に江戸の切通し

紅白の巫女のよそほひ梅匂ふ

しらうめや踊り場のある女坂

七島の一つが見えて早ざくら

春しぐれ宗祇の墓所の早雲寺

啓蟄の雨にうるほふ草のいろ
くろぐろと水を含みて春の土

厨から妻のハミング水ぬるむ

剪定の枝もろともに空を伐る

白加賀も豊後も咲いて空青し
あたたかや西郷さんは一張羅

老犬といつもの道をゆく彼岸
おもかげを香煙と追ふ春の空

鳥雲に入る厄年をはるか過ぎ
珈琲の香りに溶かす春うれひ

この家にしかと根づいて花杏

幸せは足もとにありすみれ

星空の欠片が落ちて犬ふぐり

暮れ方は沈丁のなほ濃く匂ふ

桜まじ明日のことは思はざる
ありなしの風にさゆらぐ大桜

花びらの空にあふるる飛鳥山
暫くはベンチにやどる花吹雪

観音の伏し目に在す花ぐもり

暮れ方の歩道につづく花明り

街の灯をいざなふやうに夕桜

枕辺のスイッチを切る花疲れ

夏めくや緑道といふ風のみち
樹の色も風の匂ひも五月なり

日光にたつぷり濡れて柿若葉

緋牡丹は小雨の中に燃え残る

緩やかに時の流るる新茶の香
家をつぐ男の子なけれど柏餅

母の日やこころの中に備忘録

母の忌の花に水やる薄暑かな

青空をあふぎて飽かず花水木
閉ざしたる門に泰山木ひらく

青葉風もう開かない英和辞書

衣更へて昨日を少し遠くせり

盆栽の梅の実がまづ色づきぬ

老幹のなほ数多なる実梅もぐ

健やかに且つ平凡に茄子の花
慎ましさとは南天の花にこそ

梅雨ながきオランダ坂の石畳

白南風や九十九島に海ひとつ

殉教の血筋つたへて青あらし

廃城に寄せ手のごとく夏木立

紫陽花や世の変転に逆らはず
曇天の白あぢさゐの眩しさよ

僅かなる風をひとしく菖蒲園

そこはかと雨の匂ひて花菖蒲

金柑の花のこぼるる雨もよひ
かなしみが螢袋にひそみをり

伸び伸びと育つ少女よ花南瓜

少年の日を丸齧りするトマト

晩年といふもの知らず夏の露

露すずし空の明けゆく山の家

夏霧のすつかり晴れて八ヶ岳
雪渓が遠くにひかる諏訪の海

竜神の池ひつそりと梅雨晴間
さざ波に雲の燦めく小暑かな

冷房の効きたる館に火焔土器

縄文の女神はヌードにて涼し

日暮までまだ時のある山帽子
夕闇のやうやく迫る沙羅の花

たっぷりと両隣まで水をまく
夕方の路地の涼しき縄のれん

鬼子母神にて折り返す朝顔市

ゆっくりと巡りて四万六千日

つましくも気儘な暮し日日草

ちちははの昔にならひ盆飾り

七月のかがよふ海へ小手翳す
海の日のことに眩しき空の色

一筋の飛行機雲に梅雨明けぬ

番犬の木陰に眠つてゐる大暑

初蟬の少しも声を惜しまざる

若き日は二度と戻らぬ蟬の穴

今といふ時を惜しみて千日紅

片陰を行けり余生の続きをり

人波のなかに溺るる炎暑の日
太陽もすこし疲れてゐる晩夏

七彩の星ちりばむる花火の夜

風のなき空を占めたる揚花火

早朝の風のけはひに秋立てり

馬道をサンバの列のゆく残暑

朝顔や日々の勤めのなき暮し

夕暮のささやきに散る白木槿

哀楽も世にありてこそ天の川
東京の灯が邪魔をする星の恋

ふるさとに月日かさねて盆踊

盆唄の余韻をさます夜道かな

高原のもはや秋めく空のいろ
あかまつの森に色なき風渡る

さはやかや木立の奥に水の音

山荘の樹々をひそめて星月夜

はつ秋の風がみちびく懐古園
秋蟬のこゑ城跡に降りしきる

空濛を埋め尽くしたる秋の草

新涼のはるかにつづく千曲川

銀やんま空の光にまぎれこむ
蜩の鳴いて入り日を急がせり

こほろぎの声に深まる夜の底
明け方の野分に夢を破らるる

若き血のまだ残りをり吾亦紅
老年の手すさびに摘む女郎花

遠き日の母のほほゑみ白桔梗

恋しさに微風をまねく水引草

一生に照る日曇る日けふの月

胸中にひとつの雲もなき良夜

酒宴より罷りて灯火親しめり

終章へ今しばらくは夜長の灯

朝採れの紺をきはむる秋茄子
枝豆の匂ひも青く茹であがる

新米のけふこそ好日と言はめ
天丼のつゆが沁みこむ豊の秋

鋤鍬は父母の代まで秋まつり

秋風や一人も継がぬ旧家の名

花を挿す我も老いたる秋彼岸

新蕎麦を啜り今生ながらへむ

昼前に済ませる一事いわし雲

正午より少し遅れて零余子飯

小鳥きて名刺のいらぬ齢かな

熟れ柿を真つ先に知る嘴の跡

運動会レンズの中に児の走る

玉入れの紅白きそふ空澄めり

天高し崩るる人間ピラミッド

騎馬戦の雄叫び秋の空に満つ

色変へぬ松や祝詞の続きをり

巫女舞の笛の調べに秋気澄む

寄せ波が静かに秋を深めゆく

かくも濃き秋夕焼や能登の海

沈む日に色を惜しまず冬紅葉

一日の暮れて明るき石蕗の花

青空の色を増したる枯はちす
曇り日も銀杏落葉の照らす道

山茶花のふいに零るる二三片

暖色のままに散りしく柿落葉

茶の花が咲いて二人の半世紀
偕老の小春日和を分かちあふ

何事もきのふと同じ小春かな

二の酉の灯りの中の人となる

星ひとつ見えて始まる里神楽

木枯しの夜空に増やす星の数

短日の何か急かるる歩幅かな

人の世をまだ去り難き冬帽子

やすらかに漂ふままに浮寝鳥

一点のいつはりもなし冬満月

隠退の日々の静けさ枇杷の花

一輪に日の照る木瓜の返り花

裸木となり総身に日をまとふ

着膨れて財布の中を確かむる

討入りの日の朝刊に目を通す
些かの血気の溢れでる柚子湯

数へ日の箸を二つに割く昼餉

焼芋の匂ひも半分づつに割る

小気味よき杵の拍子も年の果

捏ね取りの一声ごとに息白し

一歩づつ音を踏みゆく霜の朝

句集 黄落 畢

あとがき

俳句の実作を始めてから十年余りというのに、もう第二句集とは早過ぎるだろうか。しかしながら既に喜寿という齢を越えて、残生を数えたら待てなかったのである。さしたる進歩があるわけでもないが、この三年間のささやかな成果として一書を編むことにした。即ち何よりも我がためのものであり、入選の有無や点数にはあまり拘らず、独自の物差しによって、また好むところに従って選句した。

「句集には何でもない句も挟まねばならぬ。名句ばかりでは息が詰まるから。」という著名な俳人の言葉がある。構成は過ぎた日を振り返る楽しい作業ではあったが、何でもない句の羅列に終わったかもしれない。

それでも読者の琴線に触れる句、あるいは共感を覚える句が少しでもあったならば、これもまた嬉しいことである。
なお「春燈」の重鎮にして積年の畏友である近藤牧男氏には栞文の労を煩わし、また「沖」同人会長の千田百里様には帯文の花を添えて頂いた。深く感謝して茲に厚く御礼を申し上げます。

令和二年　早春

礒貝尚孝

著者略歴

礒貝尚孝（いそがい・なおたか）

昭和18年　東京都生まれ
平成20年　NHK文化センター柏教室（講師・北川英子）受講
平成22年　「沖」入会　能村研三に師事
平成25年　俳人協会会員
平成27年　「沖」同人
平成29年　句集『清閑』上梓

現住所　〒123-0842 東京都足立区栗原3-4-1

令和四季コレクションシリーズ12

句集　黄落　こうらく

令和二年三月二十二日　初版発行

著　者●礒貝尚孝
発行人●西井洋子
発行所●株式会社東京四季出版
〒189-0013 東京都東村山市栄町二―二二―二八
電　話　〇四二―三九九―二一八〇
FAX　〇四二―三九九―二一八一
shikibook@tokyoshiki.co.jp
http://www.tokyoshiki.co.jp/

印刷・製本●株式会社シナノ

定　価●本体二七〇〇円＋税

ISBN978-4-8129-1011-5